FAITES FACE
AUX CHANGEMENTS

Qui vous touchent personnellement

Cynthia D. Scott / Dennis T. Jaffé

LES PRESSES DU MANAGEMENT
103, boulevard Murat
75016 PARIS

Faites face aux changements qui vous touchent personnellement

Si vous souhaitez être informé de nos publications, il vous suffit de nous envoyer votre carte de visite à l'adresse suivante :

Les Presses du Management
Service Clientèle
103, boulevard Murat
75016 Paris

Tél. (1) 40.71.11.11   Fax (1) 46.51.45.35

Dessins : Ralph Mapson. Maquette : François Leprince
Titre original : Managing Personal Change/Self-Management Skills For Work and Life Transitions
© Crisp Publications Inc.
© Traduction française : Les Presses du Management 1995
Traduit de l'américain par Sophie Gorins
ISBN 2-87845-263-1 1995
Édition originale 0-931961-74-2 Crisp Publications USA

Avant-propos

Nos vies changent à un rythme beaucoup plus rapide, de nos jours, que dans toute l'histoire de l'humanité. La quantité d'informations contenue dans un seul journal correspond approximativement à l'ensemble de toutes les informations qu'une personne au XVIe siècle aurait assimilées dans toute sa vie.

Nous cherchons tous à comprendre et à réagir aux changements qui se produisent dans notre vie professionnelle et notre vie privée. La plupart d'entre nous essaie d'avoir une réaction positive et constructive face à ce qui nous arrive, mais parfois on se sent dépassé, submergé et démuni. Les techniques et les stratégies exposées dans ce livre vont vous apporter l'aide dont vous avez besoin pour faire face aux changements qui vous touchent personnellement.

En lisant ce livre et en faisant les exercices, vous apprendrez à :

✔ Comprendre comment un changement vous affecte.
✔ Surmonter votre résistance au changement.
✔ Traverser avec plus de facilité les périodes transitoires.
✔ Trouver des appuis autour de vous pour rendre le changement plus facile.
✔ Accroître votre force intérieure.
✔ Comprendre les nouveaux rôles et les défis qui vous attendent au cours des changements.
✔ Vous construire et conserver une attitude positive face au changement.

Ce livre vous amène, étape par étape, au travers d'exercices pratiques, à acquérir les moyens nécessaires pour maîtriser les changements. Ce sont des techniques qui ont fait leurs preuves. Elles vous permettent de faire face, comme elles ont permis à d'autres de le faire, dans les meilleures conditions.

Cynthia D. Scott

Dennis T. Jaffé

Sommaire

Introduction

Ce livre est destiné à aider tous ceux qui ont subi le choc d'un changement intervenant au sein de l'entreprise (restructuration, fusion, réduction d'effectif) ou qui sont confrontés à un changement sur le plan personnel dans leur vie privée. Considérez cet ouvrage comme un réservoir d'idées, de techniques et de stratégies à partir duquel créer votre propre potion pour l'adapter au mieux à votre situation.

Vous trouverez ci-dessous des éléments vous permettant de faire face avec succès à un changement personnel :

1. Soyez à l'écoute de vous-même.

Ne laissez pas s'échapper une bonne idée. Notez vos pensées, réactions et idées pour agir.

2. Concentrez-vous sur peu d'actions en même temps.

N'en faites pas de trop, ce serait le meilleur moyen pour ne rien réussir du tout. Concentrez-vous sur une ou deux actions à la fois. Pour être sûr de réussir, avancez à petits pas.

3. Donnez-vous du temps.

Utilisez la règle des 21 jours pour tout changement de comportement ; il faut environ 21 jours pour prendre une habitude et environ autant pour s'en débarrasser.

4. Relisez vos idées chaque jour.

Placez votre liste des actions à entreprendre là où vous pouvez la voir régulièrement.

*Un changement réussi
se construit pas à pas*

SECTION I

LE FUTUR
C'EST MAINTENANT

Le monde n'a pas peur d'une idée nouvelle. Ce qui lui fait peur, c'est une expérience nouvelle.

D.H. Lawrence

Le changement est partout

Aujourd'hui le changement arrive très vite. Il n'y a plus désormais de courtes périodes de changements suivies de longues périodes de stabilité. Notre vie ressemble, pour la plupart, à une série de changements continue et sans fin avec des moments de tranquillité de plus en plus courts. Aussi devons-nous apprendre à vivre et à rester debout dans un monde où les exigences changent constamment.

Que cela vous plaise ou non vous êtes concerné par la plupart des changements qui se produisent autour de vous. Ces bouleversements affectent aussi bien vos valeurs que la structure même de votre entreprise. Vous devez apprendre à faire face à ces changements à mesure qu'ils vous touchent. Pour réagir au changement vous devez :

☞ Vous protéger et prendre soin de vous.

☞ Relever le défi pour rester efficace et performant.

Faire face aux grains soulevés par le changement exige des compétences nouvelles ; pas celles que vous avez pu acquérir au cours de vos études ou que l'on attend en général de vous ou que l'entreprise vous enseigne. Vous avez davantage besoin d'apprendre comment apprendre et savoir comment réagir rapidement avec souplesse aux nouvelles exigences. Ces compétences s'appellent « *la maîtrise du changement* ».

Checklist : vous et le changement

Le changement couvre un large champ d'application ; il peut être inattendu, soudain, perturbant ou bien on peut le planifier et s'en réjouir. Les contraintes internationales tout comme les pressions économiques et sociales intérieures contribuent à accélérer les transformations sur les plans personnel et professionnel. Aujourd'hui le changement est un véritable mode de vie.

Prenez quelques instants de réflexion puis cochez les cases correspondant aux différents changements qui vous ont affecté au cours de l'année passée.

PROFESSION

- ☐ **1.** Changement pour un nouveau type d'activité
- ☐ **2.** Changement d'horaires ou de conditions de travail
- ☐ **3.** Responsabilités accrues ou diminuées
- ☐ **4.** Problèmes rencontrés avec des collègues
- ☐ **5.** Retraite
- ☐ **6.** Licenciement ou mise sur la touche
- ☐ **7.** Suivi de cours relatifs à ma profession
- ☐ **8.** Mon entreprise a été rachetée, réorganisée, a fusionné
- ☐ **9.** On a introduit de nouvelles technologies

SANTÉ

- ☐ **1.** Vous êtes tombé malade ou vous êtes blessé
- ☐ **2.** Vous avez changé vos habitudes alimentaires
- ☐ **3.** Vous avez changé vos habitudes de sommeil
- ☐ **4.** Vous avez réduit ou modifié vos moments de détente

FINANCES

- ☐ **1.** Vous avez fait un gros achat ou un emprunt important
- ☐ **2.** Vous avez subi un revers de fortune professionnel ou une lourde perte financière
- ☐ **3.** Changement de vos finances personnelles (bon ou mauvais)

D'autres types de changement

FAMILLE ET DOMICILE

- ❏ **1.** Changement de domicile
- ❏ **2.** Le cercle de famille a changé
- ☑ **3.** Changement d'attitude ou problème de santé d'un des membres de la famille
- ❏ **4.** Amélioration de votre intérieur ou autre changement ménager
- ❏ **5.** Vous avez subi le décès de votre conjoint ou d'un membre de la famille
- ❏ **6.** Souffert de la mort d'un ami intime
- ❏ **7.** Vous avez divorcé
- ❏ **8.** Vous vous êtes marié
- ❏ **9.** Vous avez eu une grosse scène de ménage avec votre conjoint
- ❏ **10.** Problèmes avec les beaux-parents
- ❏ **11.** Séparation ou réconciliation avec votre conjoint
- ❏ **12.** Accueil d'un nouveau membre dans la famille (naissance, adoption ou parent ayant emménagé)
- ❏ **13.** Conjoint ayant commencé ou arrêté un travail hors du domicile

PERSONNEL OU SOCIAL

- ☑ **1.** Réalisation d'un important projet personnel
- ☑ **2.** Prise d'une décision majeure concernant l'avenir
- ❏ **3.** Rencontre de problèmes sexuels
- ❏ **4.** Vous avez commencé ou arrêté des études
- ❏ **5.** Prise d'un congé
- ❏ **6.** Changement dans vos croyances religieuses
- ❏ **7.** Changement de vos activités sociales
- ☑ **8.** Vous avez eu des difficultés juridiques
- ❏ **9.** Vous avez changé de croyance politique
- ❏ **10.** Vous avez noué une nouvelle et profonde relation personnelle
- ❏ **11.** Vous avez subi une grosse déception dans l'une de vos relations intimes
- ❏ **12.** Perte, vol ou détérioration de vos biens personnels
- ❏ **13.** Vous avez eu un accident

Faites le compte de tous les changements	
1-15	Vous passez une année tranquille
16-25	Vous avez rencontré quelques difficultés au cours de l'année
26-37	Vous pourriez avoir besoin de trouver quelqu'un sur qui compter pour vous aider à traverser cette période de changement
38 ou +	Accrochez-vous et ralentissez !

Quel est l'impact d'un changement ?

Chacun s'adapte à sa manière aux changements survenant dans sa vie. Par exemple, certains doivent faire d'énormes efforts pour s'habituer à un nouveau domicile tandis que d'autres s'adaptent très bien. Lorsque l'on sait maîtriser le changement, la traversée d'une période de transition semble plus facile. D'autres, touchés par les mêmes changements peuvent, au contraire, se sentir très stressés.

Une étude a été conduite sur 43 cas courants de changements de la vie. On a constaté que les personnes atteintes d'une maladie grave avaient soit subi un accident soit avaient dû faire face à un accroissement important de changements dans leur vie au cours des années précédentes.

D'autres études montrent que la façon de se préparer ou de vivre le changement influe directement sur la difficulté à vivre l'événement. Les personnes qui appliquent les techniques de maîtrise du changement savent réduire le stress qu'il engendre.

> *La maladie attaque toujours les gens lorsqu'ils sont exposés au changement.*
>
> **Hérodote, Ve siècle avant J.-C.**

Les réactions face au changement

Un changement est comme une pierre que l'on jette dans une mare. Il crée des vagues dans votre vie entraînant des cassures, de l'excitation, des angoisses et parfois des crises. Cela peut remettre en cause votre manière d'agir ou vos projets d'avenir. Le changement remplace souvent la sérénité par l'incertitude et une période transitoire. Cette fracture n'est pas seulement dans votre tête. Elle peut vous affecter physiquement et vous rendre malade, elle peut également perturber vos sentiments et plus particulièrement votre confiance en vous.

Lorsque vous traversez une période de changement vous devez être conscient qu'il existe des effets négatifs sur :

Le corps

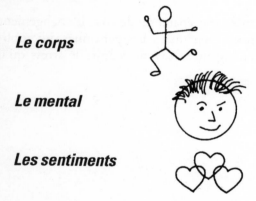

Le mental

Les sentiments

Votre corps peut montrer des signes tels que :

Maux de tête, éruptions, sensation de grande fatigue, problèmes digestifs, douleurs, risques accrus de tomber malade, etc.

L'esprit peut envoyer des signaux tels que :

Pensées négatives, confusion, difficultés de concentration productivité diminuée, somnolence, oubli de certains détails, trous de mémoire, etc.

Sur le plan émotionnel vous pouvez ressentir :

Anxiété, colère, peur, frustration, dépression, euphorie ou repliement sur soi.

Auto-évaluation

Réfléchissez aux changements importants que vous avez récemment rencontrés. Inscrivez ci-dessous tout symptôme que vous avez pu constater :

Sur le plan physique

_____

_____

_____

Sur le plan mental

_____

_____

_____

Sur le plan émotionnel

_____

_____

_____

Bien que le changement produise des symptômes sur les trois plans il est courant que les personnes remarquent plus particulièrement les symptômes de l'un des trois domaines seulement. Votre but doit être de vous efforcer de remarquer les premiers signes dans chaque domaine afin de pouvoir y remédier au plus vite. On a souvent davantage de difficultés à remarquer les symptômes sur le plan émotionnel ou mental. On ne dispose pas d'un véritable langage pour les identifier. Mais ne les négligez pas pour autant. Ils sont tout aussi importants. Un domaine peut en influencer un autre et induire une réaction en chaîne.

Prenez soin de vous-même

Le changement consomme de l'énergie. Votre dynamisme dépend du soin que vous prenez de vous. Un emploi du temps surchargé 7 jours sur 7, avec 15 heures par jour et un sandwich sur le pouce, trop de café et des heures entières à vous angoisser, cela ne peut qu'épuiser votre énergie. Abordez plutôt le changement comme s'il s'agissait de relever un défi et non plus en vous angoissant par avance et vous serez alors à même de faire des repas équilibrés à des heures régulières, d'avoir une bonne nuit de repos, de faire du sport régulièrement et de vous accorder des moments de détente pour assurer votre équilibre personnel. Recharger ses batteries permet de faire la différence en attendant que les changements se stabilisent.

Cochez, ci-dessous, les cases correspondant à votre propre hygiène de vie quotidienne. Mieux vous vous entretiendrez, plus vous serez résistant. Pendant la crise due au changement, vous serez tenté de vous retrancher derrière un « Je n'ai pas le temps ». C'est précisément à ce moment-là que vous avez le plus besoin de soigner votre hygiène de vie !

Régime alimentaire
❏ Je prends un petit déjeuner copieux et équilibré
❏ Je mange peu sucré et peu gras
❏ Je restreins ma consommation d'alcool

Détente
❏ Je m'accorde un moment de détente chaque jour
❏ Je fais quelques exercices de relaxation avant de me coucher
❏ Je passe une bonne nuit de sommeil

Exercices physiques
❏ 3 fois par semaine au moins je fais 20 minutes d'exercices
❏ Je pratique un sport de façon régulière
❏ Je marche le plus possible

Se ressourcer
❏ Je programme des soirées consacrées à ma famille ou à mes amis
❏ Je me fixe des objectifs professionnels et personnels
❏ De temps à autre je fais le point sur ce que j'ai entrepris

SECTION II

LES BASES DU CHANGEMENT

Apprenez à apprendre

Celui qui maîtrise le changement n'est pas toujours celui qui connaît d'avance la voie à suivre ; c'est plutôt celui qui est disposé à changer et qui a appris à acquérir de nouvelles compétences.

Il existe de nombreux moyens pour apprendre. Vous pouvez :

Étudier et acquérir des compétences techniques et humaines. Attendez-vous d'être forcé à apprendre pour vous y mettre ou bien allez-vous de l'avant pour trouver les informations et la pratique dont vous avez besoin ?

Rechercher le contact de personnes ayant déjà ces compétences ou qui apprennent à les acquérir. Discutez-vous avec des personnes qui sont déjà passées par là afin d'en apprendre de nouvelles méthodes ?

Aller plus loin que votre manière de faire habituelle. Renoncez aux vieux schémas. Est-ce que vous vous dites : « Il doit y avoir une meilleure façon de procéder » ?

Apprendre à agir sans disposer de toutes les informations. Vous ne pouvez jamais être certain du moment où le changement va se produire. Les personnes trop prudentes attendent d'avoir toutes les informations pour agir. Mais c'est maintenant qu'il faut agir. Etes-vous capable d'oser prendre des initiatives à partir des renseignements les plus fiables que vous ayez ? Etes-vous capable de faire confiance à votre intuition ?

Sachez retomber sur vos pieds

Du fait de l'accélération des changements de nombreux critères de sécurité dans l'entreprise se désintègrent. Lorsque les références traditionnelles s'évanouissent on assiste souvent à une période de troubles du fait d'une plus grande ouverture au sein de l'entreprise. Imaginez un rocher, jusque là solide, qui se mettrait à se désagréger en milliers de particules. Il y a plus de surface disponible mais le rocher solide a disparu.

Ce même phénomène se produit dans le travail. Avant, la sécurité venait du fait même d'être dans une entreprise et non pas de prendre des risques ou de faire bouger les choses. En revanche, maintenant, la sécurité implique d'être à l'affût, de prendre des risques et se placer là où l'entreprise a besoin d'un lien avec l'extérieur.

Ceux qui maîtrisent le changement savent communiquer au-delà des limites établies, influencer, servir de médiateur ou d'intermédiaire. Etre au cœur de l'entreprise ne garantit plus sa sécurité. Il faut soi-même se l'assurer en étant au contact de ce qui change. Mettez-vous constamment à la recherche d'informations, sur la vague montante et vous serez sur la bonne voie pour maîtriser les changements qui vous touchent personnellement.

La peur est un sous-produit naturel du changement.

Créez votre propre sécurité

Voici quelques suggestions pour créer votre propre sécurité dans un contexte professionnel en mutation.

1. *Dans votre travail, reliez les frontières entre elles*

Devenez le ciment qui unit les briques les unes aux autres. Apprenez à écouter de part et d'autre de l'entreprise. Renseignez un groupe sur les besoins d'un autre groupe. Cherchez à savoir ce qu'il y a à comprendre, à transmettre et à interpréter.

2. *Allez au-delà de votre fonction*

Recherchez ce qui doit être accompli. Ne vous limitez pas à vos simples attributions si vous pouvez participer davantage. Allez là où se trouvent les problèmes, où il existe encore beaucoup à faire et où les ressources font défaut.

3. *Élargissez votre domaine de compétences*

Si vous n'êtes compétent que dans un seul domaine, vous êtes vulnérable. Avec des compétences solides vous pouvez équilibrer votre activité. Avoir des activités variées vous permet de retomber sur vos pieds lorsque les exigences changent. Continuez d'apprendre et de relever les défis, ne vous endormez pas sur vos lauriers.

4. *Faites preuve de souplesse*

Soyez capable de renoncer à certains rêves ou à certaines envies qui n'ont pas leur place dans le monde actuel. Souvent les gens se bloquent dans une mauvaise solution ; ils recommencent de plus belle la même chose, avec plus de force, plus longtemps et plus loin même si cela n'a pas fonctionné la première fois. Ne vous acharnez pas. Passez à autre chose. On préfère souvent rester bloqué dans quelque chose que l'on connaît que de risquer d'entreprendre une nouvelle option.

Les personnes créatives assurent leur propre sécurité

Vos nouvelles compétences et la sécurité

Il s'agit, pour chacun des domaines préposés ci-dessous, d'inscrire une mesure que vous prenez actuellement pour vous rendre plus entreprenant :

Relier les frontières

_____

_____

_____

Aller au-delà de votre fonction

_____

_____

_____

Elargir vos compétences

_____

_____

_____

Faire preuve de souplesse

_____

_____

_____

Sachez vous donner du courage face au changement

Vous ne pouvez pas éviter que le changement vous perturbe, en revanche vous pouvez apprendre à contrôler votre réaction et votre approche du changement. Réagir avec efficacité requiert diverses compétences et des attitudes nouvelles.

Au cours du changement vous pouvez avoir l'impression que vous avez peu de pouvoir pour influencer le résultat final. Si c'est ce que vous ressentez, essayez de trouver des domaines dans lesquels vous pouvez avoir une influence directe. Vous pouvez acquérir et mettre en application des techniques particulières pour vous aider à maîtriser le changement.

Même dans les changements les plus radicaux, vous pouvez généralement maîtriser les éléments suivants :

1. Vous pouvez maîtriser votre réaction interne et émotionnelle face au changement, vos initiatives personnelles et votre attitude vis-à-vis des autres.

2. Vous pouvez avoir une influence sur le processus même du changement. Vous pouvez faire des suggestions, en discuter avec d'autres et apporter votre propre contribution.

3. Vous pouvez rassembler des informations sur les conséquences de ce changement, chercher des appuis et vous faire aider.

4. Vous pouvez soigner votre hygiène de vie.

Vous renforcez votre maîtrise si vous acceptez de prendre en charge votre réaction face au changement car c'est vous seul qui déterminez ce que vous faites. Vous êtes l'unique responsable de votre état d'esprit, de vos sentiments, de votre hygiène de vie, des initiatives que vous prenez et de vos relations avec vos collègues et vos supérieurs.

Voyons un exemple de 2 réactions différentes face à un même changement.

Etude de cas

Jean et Hélène : deux réactions différentes pour un même changement

Jean et Hélène sont tous les deux cadres dans un établissement financier qui vient d'être racheté. Cela faisait plusieurs années qu'ils exerçaient leurs fonctions et chacun envisageait avec joie de pouvoir faire une longue carrière au sein de cet établissement. Ils ont tous les deux assisté à une réunion dont l'objet était de faire le point sur la fusion et la réorganisation de l'entreprise. Ils doivent faire face aux mêmes nouvelles exigences mais leur réaction n'est pas la même et ils choisissent pour agir deux options différentes.

La réaction de *Jean* c'est un silence angoissé. Il fait bonne figure mais au fond de lui il a l'impression que son univers s'écroule. Il ne sait plus où il en est, à quoi s'attendre et que faire. Il est furieux en se disant « Ce n'est pas juste, je ne m'y attendais pas du tout ». Sa motivation diminue et il commence à commettre certaines erreurs qu'il n'avait jamais commises auparavant. Il se replie sur lui-même et refuse d'en parler même à ses amis intimes. Lorsqu'il accepte de sortir avec ses collègues il passe son temps à se plaindre et à dénigrer.

Jean s'enferme dans sa fonction attendant que « les autres » en haut décident de l'évolution des choses. Il attrape la grippe et s'absente une semaine. A son retour au travail, son supérieur le convoque dans son bureau. On lui annonce, exactement comme il le pensait, que son poste a été supprimé. Il quitte sa place avec un sentiment de profonde amertume, furieux et encore moins confiant dans ses capacités qu'il ne l'était quelques semaines auparavant.

Hélène est également sous le coup de la nouvelle, inquiète et préoccupée par les changements que cela implique. Elle est contrariée mais elle a appris de ses discussions avec ses collègues que ce sentiment est partagé par tous. Elle n'aime pas avoir à changer mais elle a décidé d'en tirer le meilleur profit pour elle. Elle se dit « On a toujours besoin de gens pour diriger cette agence et je suis aussi compétente que n'importe qui, alors, attendons de voir ce qui va se passer ».

Elle décide de s'organiser. Elle discute avec toutes les personnes qu'elle connaît pour essayer de cerner ce que la nouvelle direction projette de faire de l'entreprise. Elle cherche à s'informer sur le passé, le mode de fonctionnement et les performances de l'entreprise acquérante. Elle téléphone à un ami qui a traversé le même genre de crise et profite de son expérience. Elle se renseigne également auprès d'autres banques du quartier et se rend compte qu'elle pourrait y trouver un emploi. Hélène continue d'être dynamique dans son travail bien qu'elle pense que l'on ne lui accorde pas toute la reconnaissance qu'elle mérite et qu'elle ne soit pas toujours certaine de vraiment faire ce qu'il faut.

Quelques semaines plus tard, le supérieur d'Hélène l'invite dans son bureau et lui propose de choisir entre deux nouveaux postes intéressants.

Sachez réagir de façon entreprenante

Qu'est-ce qui a fait la différence entre Hélène et Jean dans le cas présenté à la page précédente ?

Principalement une chose, à savoir la manière dont chacun a abordé le changement. Jean l'a vécu comme une défaite et en est devenu la victime impuissante. Hélène, pour sa part, bien que peu enthousiaste a réagi de manière active. Elle a cherché des appuis et a élaboré des alternatives. Elle s'est montrée prête à tirer profit des occasions que la nouvelle situation pouvait lui offrir.

Hélène a mis en pratique certaines techniques de base dont les chercheurs disent qu'elles sont caractéristiques des personnes qui gardent la tête sur les épaules et se surpassent dans des situations de grand stress et de changement. Des scientifiques ont fait des comparaisons dans des entreprises où le stress est très élevé, entre des managers en pleine forme et d'autres tombés plus ou moins sérieusement malades. Les managers en pleine santé, résistant au stress ont les caractéristiques suivantes :

1. Ils se sentent impliqués et s'investissaient dans leur fonction.

2. Pour eux changer représente une occasion et un défi à relever.

3. Leur attention se porte toute entière sur des choses qu'ils pouvaient maîtriser.

4. Ils cherchent à obtenir l'aide et le soutien de leurs collègues et ont le sentiment d'un lien avec eux.

Ces quatre éléments : défi, maîtrise, investissement et lien sont les clefs pour manager le changement de manière efficace.

Apprenez les quatre clefs

Evaluez votre hardiesse

Voici quelques éléments qui caractérisent un comportement hardi. Faites une croix devant ceux qui vous caractérisent.

S'INVESTIR

☒ J'aime ce que je fais et l'entreprise pour laquelle je travaille.
☒ Je me réveille enthousiaste pour attaquer ma journée de travail.
☒ Je comprends le sens et le but de ce que je fais.

DÉFI

☒ Je suis enthousiaste et plein d'énergie devant de nombreux projets.
☐ Dans ma vie, essayer de trouver de nouvelles opportunités tient une place importante pour moi.
☒ Je choisis des projets qui m'obligeront à me dépasser.

MAITRISE

☒ Je recherche ce que je pourrais faire bouger plutôt que de perdre mon énergie et mon temps à me frustrer sur ce que je ne peux pas faire.
☒ Lorsque surgissent de nouvelles exigences dans l'entreprise, je sais que la meilleure réaction c'est d'essayer de donner le meilleur de moi-même.
☐ J'essaie toujours de trouver de nouvelles façons de travailler.

LIEN

☐ Je sollicite d'autres personnes lorsque j'ai un problème ou des difficultés.
☐ Je pense donner aux autres autant que je reçois d'eux.
☐ J'essaie d'obtenir le plus d'informations possibles des personnes de mon entourage.

Si vous avez coché moins de deux cases dans chacun des quatre domaines ci-dessus c'est que vous ne faites pas preuve d'autant de hardiesse que vous le pourriez.

SACHEZ TRAVERSER VOS PERIODES DE TRANSITIONS PERSONNELLES

Sachez tirer les leçons du passé

Le changement est un processus continu. Notre vie est jalonnée de transitions prévisibles et imprévisibles. Grâce à votre capacité à manager les changements que vous avez rencontrés dans le passé, vous aurez un aperçu de la manière dont vous procéderez pour aborder les changements à venir. Traverser une période de changement ne se fait pas sans heurt et sans peine. Même face à un changement très attendu et bienvenu il faut une certaine souplesse et l'on ne peut pas éviter de rencontrer certaines difficultés. Dans ce chapitre vous trouverez exposées les différentes phases prévisibles qui accompagnent toute transition.

LES ÉVALUATIONS PRÉVISIBLES

Le cycle de la vie contient un certain nombre d'étapes prévisibles : naissance, enfance, adolescence, âge adulte, se trouver un emploi, nouer des relations, fonder une famille, évoluer professionnellement, avoir des enfants, perdre les siens, changements dans sa carrière, retraite et décès. Vous souvenir des changements clefs qui vous sont arrivés dans le passé est précieux pour vous permettre de vous préparer à ceux qui vous attendent. Vous pouvez vous préparer pour un changement qui s'accompagne d'étapes prévisibles grâce à vos lectures, à des cours, ou en vous faisant conseiller.

LA VIE CHANGE DAVANTAGE

De nos jours la vie ne s'écoule plus aussi paisiblement et n'est plus aussi prévisible qu'avant. La plupart d'entre nous doit changer de direction beaucoup plus fréquemment que ne l'ont fait nos parents. On rencontre couramment des personnes qui vous disent avoir changé 4 ou 5 fois de fonction au cours de leur carrière. Il y a peu d'entreprise où l'on puisse espérer faire toute sa carrière. Vous devez de plus en plus envisager de remettre à niveau ce que vous avez appris dans vos études. De nombreuses entreprises font suivre à leurs employés des stages de recyclage et de remise à niveau tous les cinq ou six ans. Pour vous, changer professionnellement signifiera accepter d'apprendre, être ouvert à de nouvelles orientations et savoir entrer dans une entreprise ou dans une fonction et savoir en sortir.

Le parcours de votre vie

Vous trouvez ci-dessous un graphe sur lequel vous allez tracer une ligne à partir des événements importants qui ont jalonné votre existence. Il peut s'agir d'événements aussi bien positifs que négatifs. Tracez une ligne de ce qui vous est arrivé ainsi que vos prévisions pour l'avenir

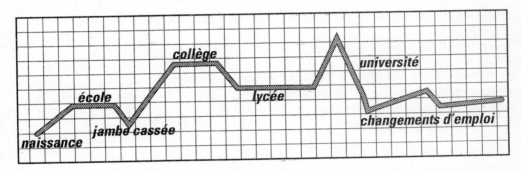

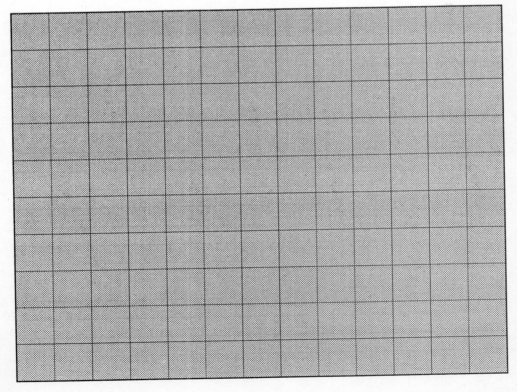

Le changement et votre cycle de vie

Votre réaction sera différente face au changement en fonction de votre cycle de vie. On est souvent plus réceptif lorsque l'on est jeune. La plupart des gens semble ressentir que l'on a plus à perdre à mesure que l'on vieillit. Pourtant d'autres considèrent que le changement est une aubaine et prendront des risques, qu'ils n'auraient pas pris plus tôt. C'est peut-être la raison qui fait que certains décident de changer complètement de carrière ou de fonction tard dans leur vie.

LES FILTRES PERSONNELS

Chacun a une manière particulière d'aborder le changement ; il ne signifie pas pour tous la même chose. Nous avons tous nos filtres personnels que nous utilisons pour ce qui nous arrive dans la vie. Ces filtres sont le fruit de notre histoire et de notre expérience personnelle.

Dans les domaines suivants qu'est-ce qui fait que vous êtes un être unique ?

_____

_____

Histoire personnelle (traumatismes, pertes, changements rencontrés) :

_____

Histoire commune (événements auxquels vous avez pris part en tant que membre d'un groupe, d'une équipe, d'une famille) :

_____

Genre (différences liées au sexe masculin ou féminin) :

_____

Ethnique (différences liées à votre appartenance raciale ou ethnique) :

_____

_____

Étape de votre vie (où en êtes-vous dans la vie ?):

_____

_____

Comment avez-vous réagi au changement ?

Reprenez le graphe sur lequel vous avez tracé la ligne marquant les différentes étapes de votre vie pour comprendre comment vous faites face aux transitions.

Répondez, dans les espaces ci-dessous, aux différentes questions concernant vos grandes périodes transitoires :

Comment vous êtes-vous rendu compte qu'une phase de votre vie s'achevait (signes, choses que vous ignoriez, comment l'avez-vous finalement découvert, etc.)

_____

_____

Comment vous êtes-vous préparé ou quelle a été votre approche pour un changement annoncé ? (planification, manière d'appréhender les nouvelles nécessités, réactions devant les inconvénients ou frustration, etc.)

_____

_____

Quelle est la plus grande peur ou difficulté à laquelle vous avez été confronté ?

_____

_____

Comment avez-vous réussi à surmonter cette peur ou difficulté ? (méthode employée)

_____

_____

Quand avez-vous commencé à sentir que vous aviez passé le cap ?

_____

_____

Quels ont été les nouveaux éléments qu'il vous a fallu apprendre pour maîtriser ce changement ?

_____

_____

...eminement prévisible face au changement

Le signe écrit chinois pour crise consiste en 2 éléments : l'un signifie danger, l'autre opportunité. C'est la nature même de tout changement ; nous réagissons à ces deux aspects.

On se fraye rarement un chemin facile et prévisible à travers un changement. Il faut d'abord admettre la nécessité pour nous de changer et de renoncer à nos bonnes vieilles méthodes. Il s'agit souvent d'une lutte intestine. Après s'être assuré qu'il fallait absolument changer, notre énergie se transforme à mesure que l'on renonce aux anciennes méthodes pour se concentrer sur les nouvelles. On cherche à savoir où l'on en est pour essayer d'élaborer un plan qui puisse permettre de traverser cette période de transition.

Les personnes qui font face à un changement ou à une transition suivent souvent un même parcours qui se compose de quatre étapes :

- Le refus
- La résistance
- L'exploration
- L'engagement

Le graphique de la page suivante illustre ces étapes. Vous passerez de l'une à l'autre à mesure que vous avancerez dans la transition.

Les phases de la transition

La courbe de la transition

LES PHASES DE LA TRANSITION

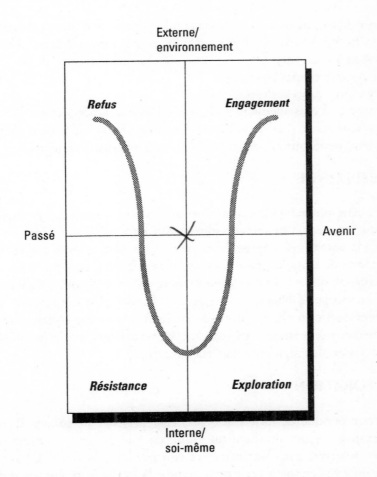

Comprendre les quatre phases de la transition

1. LE REFUS

Face à un changement, c'est le choc ; et notre première réaction consiste d'abord à refuser la réalité. On se protège ainsi pour ne pas être submergé. Les réactions courantes sont les suivantes :
- Le refus « ce n'est pas possible ».
- La négation « ça va se dégonfler ».
- Minimiser « il y a seulement quelques petites adaptations à faire ».

A ce stade de refus, il est possible de continuer de travailler mais tôt ou tard la réalité devient incontournable et il faut alors réagir personnellement.

2. LA RÉSISTANCE

Pendant cette phase les choses ont souvent l'air de s'aggraver. Les angoisses personnelles augmentent. On cherche souvent un responsable à blâmer ou bien l'on s'en prend à la nouvelle entreprise. Vous pouvez très bien tomber malade ou ressentir toutes sortes de troubles physiques, émotionnels ou mentaux. Vous allez peut-être même croire que vous ne vous en sortirez pas. A ce stade, on a tendance à se lamenter sur son passé plus qu'on ne prépare l'avenir. De nombreuses personnes veulent éviter d'affronter la situation ou se voilent la face de nouveau pour refuser la réalité. Pourtant si à ce stade vous acceptez vos sentiments, alors vous aurez plus de chances de passer plus rapidement à l'étape suivante.

3. L'EXPLORATION

Après cette période de lutte intérieure, entreprises et personnes abandonnent leur état d'esprit négatif, poussent un soupir de soulagement et entrent dans une phase plus positive, plus optimiste et tournée vers l'avenir. Chacun prend conscience qu'il va s'en sortir ; cela peut prendre la forme d'un sentiment de mieux-être ou tout simplement parce que pour la première fois depuis le changement on passe une bonne nuit de sommeil. Chaque personne se recale à son rythme mais vous vous en rendrez compte lorsque cela vous arrivera.

On ne trouve pas son nouveau chemin tout d'un coup. En fait ce qui apparaît

Comprendre les quatre phases de la transition (suite)

d'abord c'est de nouveau l'énergie nécessaire pour effectuer des recherches. On commence par découvrir et essayer de nouvelles méthodes de travail. On réussit à se fixer des objectifs, à cerner les moyens dont on dispose, à examiner des solutions de rechange et à mettre à l'épreuve de nouvelles alternatives. On se sent motivé pour passer à l'action sans tenter de trouver d'emblée « La bonne méthode ». Il vous faut éviter d'effectuer trop vite cette étape en cédant à la tentation d'accepter quelque chose qui soit en deçà de vos capacités. Cette phase correspond à un bouillonnement d'énergie. Votre créativité battra son plein.

4. L'ENGAGEMENT

Pour finir, l'individu a dépassé ses problèmes, trouvé de nouvelles manières de procéder et s'est adapté à la nouvelle situation. A ce moment commence la phase d'engagement où l'on se concentre sur une nouvelle ligne d'action. Cela peut signifier assurer autrement ses fonctions ou rechercher un emploi. Lorsque vous êtes parvenu à vous engager dans une nouvelle ligne d'action, adaptation et évolution vont de pair.

Le rythme constant du changement

Le cycle de transition ne s'arrête jamais. Tout au long de votre vie vous allez continuellement être confronté à un rythme de changement, à de nouveaux défis et à des crises. Peut-être même qu'un nouveau changement surgira avant même que vous n'en ayez terminé avec le précédent. Il est courant d'avoir à faire face à plusieurs changements à la fois ; c'est pour cela qu'il est important de savoir identifier le nombre de transitions personnelles ou professionnelles qui vous touchent en même temps afin d'éviter de vous laisser submerger.

Ce qui bloque les gens

On peut rencontrer des problèmes de deux manières : d'abord en restant bloqué par un changement sans pouvoir le dépasser. Ensuite en essayant de le traverser sans passer par les quatre phases. Le passage d'une phase à l'autre peut exiger plusieurs semaines, voire plusieurs mois selon l'importance du changement et de votre expérience en la matière. Si vous avez l'impression de ne pas maîtriser le changement aussi rapidement que vous le souhaitez ne vous inquiétez pas.

Auto-évaluation

Reprenez la courbe de la transition pour déterminer où vous en êtes. Pensez à un changement important qui vous touche ou vous a touché et à votre réaction. Faites une croix à l'emplacement où vous pensez vous situer maintenant. Si l'on vous a parlé récemment d'un prochain changement peut-être que vous êtes dans la phase de refus ou de résistance. Vous pensez peut-être (ou vous espérez) pouvoir vous convaincre que vous êtes au stade de l'engagement mais il faut plus que quelques jours seulement pour s'investir vraiment. Si vous êtes au milieu d'un changement au sein de votre entreprise, il se peut que vous vous situiez plus loin que votre équipe ou votre direction. Vous risquez d'être angoissé plus tard à cause de cela. Il faut savoir parfois faire quelques pas en arrière pour progresser.

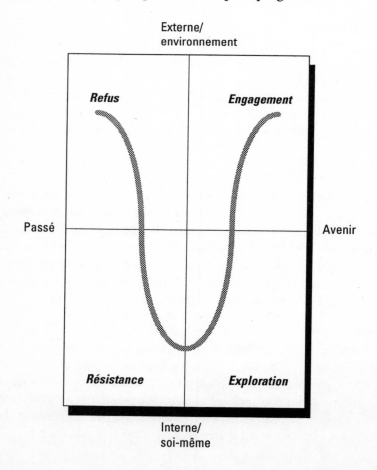

Vous trouverez ci-dessous quelques traits caractéristiques de chaque phase :

1. LE REFUS

« Comme c'était bon dans le temps »
« Ils n'en ont pas vraiment l'intention »
« Cela n'arrivera pas chez nous »
Prostration, mutisme
Agir comme si de rien n'était
Minimiser
Refuser d'écouter les nouvelles informa-
tions

4. L'ENGAGEMENT

« Je veux arriver à cela »
Concentration
Travail d'équipe
Projection dans l'avenir
Coopération
Équilibre

2. LA RÉSISTANCE

Colère
Perte et blessure
Borné-têtu
Se plaindre
Tomber malade
Douter de ses propres capacités

3. L'EXPLORATION

« Que va-t-il m'arriver ? »
Voir les différentes possibilités
Confusion
Indécision
Travail éparpillé
Energie
Classification des objectifs
Cerner les moyens à disposition
Rechercher les alternatives
Acquérir de nouvelles compétences

Comprendre la résistance

La résistance est une phase normale et prévisible de tout changement. Aucun de nous n'aime être bousculé. S'accrocher à ses vieux modèles c'est se condamner. D'ailleurs en y regardant de plus près, c'est la peur de l'inconnu qui crée la résistance. Voici quelques raisons pour lesquelles l'on résiste face au changement :

1. Le changement perturbe nos attentes ou menace notre sécurité.

2. On se sent impuissant et angoissé comme si notre vie nous échappait.

3. On se sent maladroit, gêné ou bien l'on craint d'avoir l'air bête.

4. On manque d'informations pour comprendre les conséquences du changement.

On ne doit pas chercher à éviter de résister. Il faut l'accepter. Vous devez être à l'écoute de vos sentiments et les assumer. Le meilleur moyen pour dépasser sa résistance c'est de se l'avouer et d'en parler avec une tierce personne. Si cette dernière est touchée ou bien l'a été par ce genre de crise la discussion sera particulièrement intéressante. Après un certain temps, vous verrez que vos sentiments vont évoluer à mesure que vous quittez la phase de résistance pour entrer dans celle d'exploration.

Réfléchissez à l'un des changements auxquels vous faites face. Etablissez une liste de raisons valables pour justifier votre résistance :

Maintenant, notez quelques façons précises de surmonter positivement votre résistance :

LE SAUT DE TARZAN

L'entêtement avec lequel vous affirmez que vous êtes passé directement du refus à l'implication est proportionnel à votre refus.

On a souvent tendance à vouloir minimiser sa phase de résistance. On peut le faire en sautant de la phase de refus directement à la phase d'engagement sans s'arrêter pour expérimenter la résistance ou l'exploration. Celui qui procède ainsi parle du changement comme s'il ne l'avait absolument pas perturbé. C'est prendre ses désirs pour des réalités.

On appelle cette manière d'agir le Saut de Tarzan. Si Tarzan ne parvient pas de l'autre côté en un seul saut il va revenir, perdre, s'angoisser, se sentir frustré, perdu et douter de lui-même.

Personne n'aime se sentir angoissé, démuni et douter. Pourtant ne pas tenter le saut de Tarzan et accepter de changer en passant par chacune des phases réduit sensiblement le temps passé dans la période transitoire.

SACHEZ PRENDRE LE VIRAGE

Le virage en bas de la courbe correspond au moment où vous vous sentez à la fois plein d'espoir et désespéré, pas vraiment convaincu que vous allez réussir, acquis aux nouvelles idées mais craignant d'avoir à vous engager. Vous allez et venez entre la résistance et l'exploration, le danger et l'occasion qui se présente. C'est un moment particulièrement difficile, la partie la plus complexe des processus de transition parce que vous prenez des risques en avançant. A ce stade, cherchez à détecter certains signes qui vous montrent que les choses basculent. On dit souvent qu'alors on se sent soulagé d'un poids, on dort mieux et l'on retrouve son énergie. Chacun semble aborder le virage à sa manière.

LA VISION DE L'OPPORTUNITE

Pour réussir votre transition vous pouvez également avoir recours à une autre technique ; vous devez vous imaginer mentalement le résultat que vous souhaitez obtenir pour ensuite maîtriser vos émotions tout au long des quatre phases.

Lorsque vous êtes en pleine résistance ou en pleine confusion devant le virage à prendre, vous pouvez débloquer la situation en vous projetant dans l'avenir. Vous parviendrez grâce à cela à vous affranchir de vos liens avec le passé, du confort des valeurs traditionnelles pour imaginer ce que les choses pourraient devenir.

En essayant d'imaginer l'avenir vous prenez conscience des opportunités liées au changement et vous retrouvez ainsi votre énergie. Cela implique d'avoir une image claire et précise de ce que serait *la réalité si vous maîtrisiez le changement*. Cette vision personnelle fera l'effet d'une véritable bouée de sauvetage tout au long de votre transition. A mesure que l'on maîtrise le changement on puise son équilibre dans sa force intérieure et le changement extérieur devient moins déstabilisant.

Etre capable de se projeter dans l'avenir par la vision est un atout indispensable. Vous devez souvent imaginer les résultats liés au changement pour guider votre démarche. Lorsque vous abordez une transition vous pouvez avoir une intuition sur la manière dont vous aimeriez que les choses se passent. Vous pouvez maîtriser vos sentiments en comblant les cases restées sans réponse grâce à votre imagination.

Vous devez essayer d'avoir une vue d'ensemble aussi positive que possible. Notre état d'esprit conditionne souvent nos actes. Si votre vision de l'avenir est vague, déplaisante, vous avez toutes les chances pour que le résultat soit à l'image de votre vision. Soyez prudent lorsque vous faites des projections dans l'avenir car cela pourrait bien devenir réalité.

Imaginez votre avenir

Pensez à un changement imminent auquel vous allez faire face. Accordez-vous un moment de détente. Fermez les yeux pour bien vous concentrer mentalement. Pensez au moment où le changement sera passé. Essayez de voir ce qui se passera alors. Comment les choses ont-elles tourné ? Qu'y a-t-il autour de vous ? Qui est là ? Quelles sont vos sentiments sur votre vision de ce qui est arrivé ?

Lorsque vous aurez terminé d'explorer l'avenir, inscrivez sur un papier quelques notes qui vont vous permettre de vous rappeler ce que vous avez imaginé :

SE RAPPELER L'AVENIR

Pour garder en mémoire votre vision, repérez un objet, une couleur, un mot ou autre chose qui puisse faire revivre rapidement les images de l'avenir tel que vous l'avez conçu, et placez-le à un endroit où vous pourrez le voir souvent. Il est important de pouvoir se souvenir d'une projection positive de l'avenir pour s'aider tout au long d'un changement.

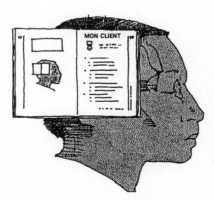

> **N.B.** Si vous avez imaginé quelque chose de négatif ou de décevant, recommencez l'exercice avec un ami et voyez ce que vous parvenez à imaginer ensemble. Si votre vision est pessimiste c'est peut-être parce que vous manquez d'informations ou de moyens. Ne restez pas bloqué. Allez de l'avant !

SECTION IV

COMMENT ACCROITRE VOTRE FORCE INTERIEURE

*Ceux qui maîtrisent le changement recherchent
constamment les occasions d'apprendre.*

Prenez-vous en main

En période de transition le plus important c'est de vous prendre en main. Même si votre pouvoir de contrôle est limité concernant un changement dans l'entreprise, votre famille ou dans votre vie, vous avez toujours un certain pouvoir de vous contrôler.

Vous maîtrisez la manière dont vous réagissez, ce que vous faites, ce que vous pensez et ressentez. Se prendre en mains en période de changement signifie mobiliser ses meilleurs atouts et élaborer le meilleur plan d'action possible pour maîtriser cette transition.

Au cours de cette transition on se sent souvent impuissant, sans pouvoir de contrôle sur la situation et incapable de s'en sortir. Parfois on se croit la victime. L'attention se focalise sur ce qui nous échappe. Quoi qu'il en soit, une personne qui maîtrise le changement est une personne qui porte toute son attention sur les domaines où elle sait qu'elle peut faire la différence. Lorsqu'ils ont la possibilité d'accroître leur force intérieure, la plupart des gens saisissent l'occasion. Il faut savoir pourtant que le type de force que possèdent ceux qui maîtrisent le changement ne les rend pas pour autant tout-puissants.

Leur force n'est pas de faire faire aux autres ce qu'ils faisaient eux-mêmes mais de se donner les moyens d'atteindre leurs propres objectifs. C'est une expérience intérieure de sa propre capacité.

Lorsque l'on s'attache à faire ce dont on est incapable ou que l'on ne fait pas bien ou devient frustré, on s'ennuie et l'on s'épuise pour rien. La force intérieure provient de la faculté à se concentrer sur ce que l'on peut maîtriser et sur les actions à entreprendre pour atteindre ses objectifs. Vous augmenterez votre force intérieure en acceptant d'assumer la responsabilité de ce qui se passe. Pour cela il faut souvent prendre des risques. Vous devez également renoncer à blâmer qui que ce soit d'autre pour vos échecs.

Comment profiter du changement pour accroître votre force intérieure :

☞ Prenez soin de vous ; physiquement, mentalement et émotionnellement. Créez un climat interne positif, réceptif au changement (les pages qui suivent expliquent plus en détails ce dont il s'agit).

☞ Ensuite créez une stratégie pour agir et répondre à la nouvelle situation (c'est l'objet du chapitre V : Agir et « se survolter »).

Comment se créer un état d'esprit positif

Lorsque vous faites face à un changement, vous devez apprendre à exploiter les réserves et le potentiel qui sont en vous et dont vous ne soupçonnez peut-être pas l'existence. Cela signifie que vous devez vous percevoir comme quelqu'un de capable, de valeur et qui peut réussir. On accroît sa force intérieure lorsque l'on commence à modifier sa pensée pour l'orienter complètement vers ce qui va nous permettre de faire la différence. Vos actions suivront généralement ensuite la bonne voie.

Si vous reprenez l'exemple de la page 23 sur Hélène et Jean, vous vous rendrez compte comment l'attitude peut affecter la force intérieure. Jean est l'exemple de la victime du changement à travers son attitude et ses choix tandis qu'Hélène montre à travers son comportement et sa démarche positive qu'elle maîtrise le changement.

AYEZ DU RESPECT POUR VOUS-MEME : VOUS N'ETES PAS À BLAMER

C'est vous la clef pour maîtriser le changement. Quelle considération vous portez-vous ? Est-ce que vous êtes trop exigeant envers vous-même ? Certaines personnes sont de nature plutôt pessimiste et s'auto-critiquent constamment, remettant en cause leurs capacités en oubliant de prendre en compte ce qu'elles sont déjà parvenues à réaliser.

L'attitude positive commence par un sentiment de respect pour soi-même. Si vous vous acharnez à vouloir absorber toutes les nouvelles nécessités liées au changement en l'espace de quelques jours, vous ne ferez que vous surcharger davantage. Se dire « Que se passerait-il si je… » ou bien « Si j'avais fait cela est-ce que… » n'aide pas davantage. N'oubliez pas de reconnaître vos points forts et de prendre en compte vos succès. Soyez fier de ce que vous avez déjà accompli. N'attendez pas que la reconnaissance vienne des autres parce qu'en période de crise chacun est occupé ailleurs.

AFFRONTEZ L'AVENIR

Face au changement professionnel, certains se disent qu'il faut tout faire pour sauver leur emploi. Ils prennent la défensive en s'imaginant que le changement ne peut faire qu'empirer les choses. Lorsque vous travaillez depuis des années pour la même entreprise, vous vous êtes considérablement investi en elle. Ne pas avoir été sur le marché du travail depuis longtemps fait que l'on ne sait peut-être plus très bien ce que l'on vaut ailleurs. Mais s'accrocher à son emploi de toutes ses forces ne peut que brouiller la vision des choses. On peut très bien imaginer qu'après le changement, non seulement vous pourrez garder votre place mais encore qu'on va vous proposer un nouveau poste avec des responsabilités plus importantes. Ne vous fermez pas de portes en supposant que tout est pire ou que votre place actuelle est la *seule* qui vous convienne.

Faites un bilan

Lorsque vous traversez une période de crise il est important de savoir ce que vous avez à offrir ; et ce que vous devez chercher à apprendre. Vous devez commencer par faire votre auto-évaluation pour vous organiser face au changement.

Réfléchissez quelques instants à vos points forts, vos compétences et aux moyens dont vous disposez. Pensez aussi bien à vos qualités, expériences et réalisations personnelles que professionnelles.

Points forts

_____

_____

_____

_____

_____

Compétences

_____

_____

_____

_____

_____

Qu'avez-vous besoin d'apprendre ou d'améliorer ?

_____

_____

_____

_____

_____

Débarrassez-vous de vos vieilles aspirations

Le changement bouscule tous vos espoirs. Comment allez-vous être traité ? Que pouvez-vous espérer ? Le changement peut avoir des conséquences sur tout. De nombreuses personnes gaspillent leur énergie à pleurer la perte des bonnes vieilles méthodes (« l'ancien manager n'aurait jamais fait cela »), ou bien à faire des comparaisons (« avant c'était bien mieux, cette nouvelle méthode ne vaut rien »). Il est plus intelligent de focaliser son attention sur les moyens d'accomplir les nouvelles tâches encore mieux qu'avant.

SACHEZ COUPER LE CORDON

Pendant une transition importante, vous vous surprendrez en train de vous accrocher à vos anciennes habitudes ou d'être contrarié à l'idée de devoir renoncer à ce qui vous était familier. Ne refoulez pas ce sentiment de perte ; mais ensuite, tournez la page et continuez votre chemin. Vous n'avez pas à vous demander si les nouvelles exigences sont bonnes ou mauvaises, mieux ou moins bien que les précédentes. Elles sont simplement nouvelles et vous devez les assimiler, les appliquer et juger sur pièce. La plupart du temps il vous manquera certains éléments pour vous permettre de vraiment évaluer la manière dont une décision a été prise, pourquoi une chose est faite de cette manière ou ce que vous ressentirez lorsque vous y serez habitué.

Lors d'un changement il ne faut pas attendre que les choses redeviennent « normales » parce qu'il n'y a pas de « normalité » à retrouver. Faire cela c'est perdre un temps précieux que vous pourriez consacrer à acquérir de nouvelles compétences. On manque toujours de temps : ne gaspillez donc pas celui que vous avez.

Ayez une démarche positive face aux nouveaux défis

Sachez vous dire : c'est possible !

Ne soyez pas surpris d'avoir en tête des scénarios catastrophes puis des images d'un avenir idyllique. Votre démarche, vos croyances et vos espoirs entrent pour une part importante dans votre réussite à maîtriser le changement.

Il existe deux types d'attitudes : les croyances qui limitent et celles qui donnent de la force.

LES CROYANCES QUI LIMITENT

Ce sont des idées pessimistes ou qui vous donnent le sentiment d'être démuni et désespéré. C'est le genre d'idée qui donne envie de tout laisser tomber avant même d'avoir commencé. En voici quelques exemples :

Je ne peux pas le faire
Je ne peux pas changer
Tout le monde s'en désintéresse
Je ne peux pas apprendre ça
A l'avenir, ce sera pire
Il n'y a pas assez d'argent
L'entreprise ne peut pas changer

La prophétie qui s'auto-réalise

Lorsque l'on a des pensées négatives on risque d'obtenir le contraire de ce que l'on voudrait. Cela s'appelle la prophétie qui s'auto-réalise : *vous obtenez ce à quoi vous pensez.* En période de transition, ce genre de pensées peut être très dangereux parce qu'il vous empêche de prendre des risques ou d'essayer de nouvelles méthodes. La première démarche à suivre c'est de réfléchir à ce que vous avez pensé lorsque l'on vous a parlé de changement.

TABLEAU RECAPITULATIF SUR LES CROYANCES QUI LIMITENT

Utilisez le tableau ci-dessous pour inscrire toutes les croyances négatives que vous avez sur vous-même, sur votre travail, et sur les changements que vous subissez.

Vous concernant :

_____

_____

_____

_____

Concernant votre travail :

_____

_____

_____

_____

Vos changements :

_____

_____

_____

_____

Pourquoi avons-nous le réflexe des croyances qui limitent

Maintenant que vous avez établi une liste de vos croyances négatives, interrogez-vous pour savoir quel est leur objet. Normalement la réponse est « pour se proté-ger ». Vous pouvez ne pas obtenir ce que vous souhaitez et bien sûr si vous ne prenez pas le risque d'essayer quoi que ce soit de nouveau vous ne subirez pas d'échec ; mais une chose est sûre : vos pensées négatives vous conduisent tout droit à l'échec. Penser « négatif » c'est se condamner à être une victime du changement, un laissé pour compte parce que l'on n'a pas appris à se familiariser avec les nouvelles méthodes.

LES CROYANCES QUI DONNENT DE LA FORCE

Elles sont à l'inverse des croyances négatives, elles vous « survoltent ». Grâce à elles vous pouvez envisager l'avenir sous un jour radieux.

Voici quelques exemples de telles pensées face au changement :

Moi je peux faire la différence
On peut toujours trouver une meilleure méthode
Il y a toujours une solution
Le changement est normal
J'ai réussi dans le passé, je réussirai dans l'avenir

Les personnes qui abordent le changement en se disant « c'est possible » cher-chent à acquérir de nouvelles compétences et à trouver de nouvelles méthodes.

Changez d'état d'esprit

Reprenez la liste de vos croyances négatives. Essayez de voir comment vous pourriez les transformer en croyances positives. Par exemple, si vous vous étiez dit : « Je ne peux pas le faire », la pensée positive sera « Je peux apprendre à le faire ». Grâce à cela vous allez commencer à vous sentir plus fort. Dans l'espace ci-dessous, notez vos pensées négatives et remplacez-les par des pensées positives :

Pensée négative

_____

_____

Pensée positive

_____

_____

Pensée négative

_____

_____

Pensée positive

_____

_____

Pensée négative

_____

_____

Pensée positive

_____

_____

ent réussir à changer vos croyances ?

EN PRENANT DES RESPONSABILITÉS

Soyez actif dans votré formulation « Je fais telle ou telle chose » et non plus « voilà ce qui m'arrive ». Cherchez à voir ce que vous pouvez faire et non pas ce qui est impossible.

ESSAYEZ

Mettez vos croyances à l'épreuve. Quelles sont les informations sur le sujet ? Est-ce toujours vrai ou quelques fois seulement ? Voyez si le résultat négatif attendu se produit réellement.

« PENSEZ » POSITIF

Élaborez des images nouvelles, positives et ouvertes. Essayez de vous dire l'inverse ou d'imaginer le contraire. Répétez-le vous de façon régulière.

AFFIRMEZ-VOUS GRACE À VOTRE IMAGINATION POSITIVE

Influencez le résultat désiré en vous projetant dans l'avenir. Essayez de vous imaginer en train de faire ce que vous désirez et d'obtenir le résultat souhaité.

RECADREZ

Essayez d'imaginer la situation sous un jour nouveau. Repérez quels sont les défis et les occasions à saisir. Cernez les limites.

COMMENT PASSER DES CROYANCES QUI LIMITENT A CELLES QUI DONNENT DE LA FORCE

Prenez une pensée négative et transformez-la en pensée positive qui suggère que ce que vous voulez est possible.

_____

_____

_____

_____

_____

SECTION V
PASSEZ A L'ACTION

Apprenez à développer votre force intérieure

Le secret pour maîtriser le changement c'est de renforcer votre pouvoir sur l'avenir. Comment pouvez-vous accroître votre force intérieure ? En observant comment agissent les personnes qui font régulièrement face à des crises ou à des périodes d'incertitude. Des études ont montré que les personnes qui guérissent de graves maladies, surmontent des crises profondes ou se remettent d'un sérieux traumatisme ont toutes en elles le sentiment de toujours pouvoir s'en sortir quel que soit l'obstacle rencontré. Elles focalisent leur attention sur ce qu'elles peuvent faire et le font. Elles n'attendent pas pour autant d'avoir toutes les informations possibles pour agir.

Vous vous rappelez l'histoire de Jean et d'Hélène ? Ce qu'il ne faut surtout pas faire c'est s'asseoir, attendre et rester à mijoter. Les occasions ne se présenteront pas d'elles-mêmes. Il faut les provoquer et aller les chercher. On a plus de chances de s'en sortir en trouvant des opportunités et en prenant des initiatives qu'en restant chez soi à ne rien faire.

AYEZ UNE APPROCHE ACTIVE

Les personnes courageuses face au changement développent leur force intérieure grâce à une approche *active*. Elles cherchent à cerner ce qu'elles sont en mesure de faire et le font. Si la voie qu'elles ont choisie se révèle décevante ou ne mène nulle part ce n'est pas pour autant qu'elles en concluent qu'il n'y a rien à faire. Elles iront tenter leur chance ailleurs. A mesure que l'on agit, de nouvelles portes s'ouvrent et l'énergie augmente. A la page suivante vous apprendrez à renforcer votre force intérieure face au changement.

Que pouvez-vous maîtriser ?

Pour avoir le sentiment d'être fort intérieurement la première étape consiste à établir une liste de ce que vous pouvez faire d'efficace. Réfléchissez à un changement auquel vous faites face en ce moment. Dans l'espace ci-dessous, inscrivez les éléments que vous maîtrisez et ceux qui vous échappent. Pensez aux personnes de votre entourage, aux actions que vous pouvez entreprendre et/ou à vos pensées ou sentiments intérieurs.

Commencez par la liste de ce que vous maîtrisez. Puis inscrivez les éléments sur lesquels vous pourriez avoir une certaine influence. (N'oubliez pas que de collecter des informations c'est une manière d'influencer les choses, cela peut vous permettre de mieux les maîtriser.) Enfin faites la liste des choses qui vous échappent.

Situation ou changement

_____

1. Je peux maîtriser

_____

_____

_____

2. Je peux avoir une certaine influence

_____

_____

_____

3. Je ne peux pas maîtriser

_____

_____

_____

_____

térieure : obtenez
vous souhaitez

Reprenez les trois listes que vous venez d'établir. Placez une croix devant les éléments sur lesquels vous travaillez en ce moment. Peut-être vous rendrez-vous compte alors que vous consacrez beaucoup de temps à des choses qui vous échappent ou sur lesquelles vous n'avez aucune influence. Cela peut conduire à un sentiment de frustration ou de démotivation. Si par contre votre énergie est dépensée sur des éléments sur lesquels vous pouvez faire la différence, vous aurez le sentiment de maîtriser la situation et de pouvoir faire confiance à votre stratégie.

A la page suivante, la matrice vous propose une vue d'ensemble pour vous aider à accroître votre propre force face au changement. Quelle que soit la situation, il existe quatre manières de réagir. Si vous portez votre attention sur les choses que vous maîtrisez vous vous sentirez en confiance et fort. Vous aurez le sentiment d'avoir les choses en main. En revanche, si vous prenez des initiatives dans des domaines qui vous échappent vous vous sentirez furieux et frustré à la suite de votre *acharnement*. Si vous n'agissez pas sur des choses que vous pourriez maîtriser vous vous sentirez sans ressource et sans espoir avec l'envie de *renoncer*. Et si vous ne cherchez pas à prendre des initiatives dans les domaines où vous n'avez aucun contrôle vous vous sentirez soulagé de *laisser faire* les choses.

**Maîtrise de la force
intérieure**

La matrice de la force intérieure

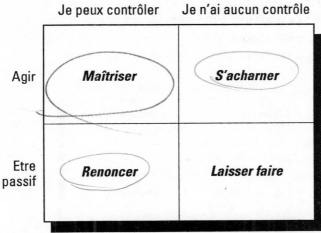

vouloir préserver une image sociale à tout prix

- *MAITRISER* signifie agir sur des éléments que l'on peut dominer.

- *S'ACHARNER* c'est essayer d'agir à tout prix sur des éléments qui nous échappent complètement. On passe son temps à réagir sans aboutir. Comportement de type A associé à une maladie cardiaque.

- *RENONCER* c'est ne pas agir dans les domaines où l'on pourrait avoir une influence. Agir sans moyen. Se sentir la victime.

- *LAISSER FAIRE* c'est ne pas chercher à avoir d'influence sur ce qui nous dépasse complètement. Ne pas se sentir coupable pour autant ou en vouloir à quelqu'un ou à quelque chose. Physiquement on se sent détendu et soulagé.

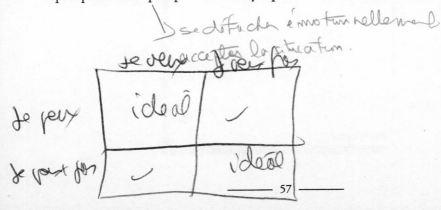

Fiche de la force intérieure

Réfléchissez à un changement qui vous affecte en ce moment. Dans le tableau ci-dessous inscrivez ce que vous faites ou ne faites pas pour chacun des domaines. Rappelez-vous que pour chaque grande transition on agit généralement de quatre manières : maîtrise, acharnement, renoncement, laisser faire.

	Je contrôle	Je ne contrôle pas
	Maîtrise	*Acharnement*
Actif	_____	_____
	_____	_____
	_____	_____
	Renoncement	*Laisser faire*
Passif	_____	_____
	_____	_____
	_____	_____

Vous devez apprendre à focaliser votre attention sur la « maîtrise » et le « laisser faire ». Ce sont deux attitudes qui vous permettent de vous sentir le mieux possible. La maîtrise vous donnera l'impression que vous réussissez et que vous aboutissez, le laisser faire vous rendra détendu et soulagé.

Le but consiste à orienter votre énergie dans la case « maîtrise » et de vous décharger de ce qui vous écraserait. Si vous passez trop de temps à vous acharner ou à renoncer vous mettez en danger votre santé et votre efficacité.

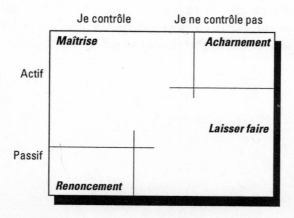

Savoir prendre des risques

Lorsque vous tentez des choses dont le résultat est incertain, vous prenez un risque. Les managers qui maîtrisent le changement prennent souvent des risques.

Maîtriser le changement implique d'agir dans des situations où le résultat est incertain, où les choses importantes ne sont pas claires et où votre pouvoir est limité. A partir du moment où l'on ne peut pas déterminer sur quoi va aboutir un plan d'action, l'approche la plus efficace consiste à avoir à disposition plusieurs solutions de rechange pour chaque situation.

CRÉEZ UN DYNAMISME

Pour éviter de renoncer ou de vous acharner, vous devez élargir votre domaine de maîtrise et de laisser faire.

- ✎ Éviter de s'acharner signifie s'engager dans quelque chose qui n'est pas rassurant, comme se décharger d'une tâche, apprendre de nouvelles techniques, ou prendre une décision difficile.

- ✎ Éviter de renoncer signifie acquérir de nouvelles compétences pour maîtriser son environnement et prendre le risque d'échouer. Le risque n'est pas confortable mais c'est le seul moyen pour progresser.

Liste des risques

Réfléchissez à un changement auquel vous êtes confronté. Inscrivez ci-dessous les risques que vous devez prendre pour accroître votre force intérieure :

_____

_____

SACHEZ TIRER LA LEÇON

Chacun dans sa vie est confronté un jour au chagrin, à l'injustice, à l'échec et aux mauvaises passes. Pourtant les personnes qui maîtrisent les changements sont capables de se ressaisir et de recommencer. Les victimes du changement prennent trop à cœur tout échec. Elles se sentent inutiles. En période de transition ou de crise vous ne pouvez pas vous permettre de vous laisser accabler par l'adversité. L'échec d'aujourd'hui peut devenir l'occasion de demain. La plupart des grands personnages de l'Histoire ont prouvé leur valeur en tirant les leçons et en se relevant de l'adversité pour mieux rebondir.

SECTION VI

SACHEZ INFLUER SUR LE COURS DES CHOSES ET TROUVER DES APPUIS

L'appui

Le changement vous met sous pression comme une cocotte-minute. Lorsque le stress s'accumule il faut trouver une soupape de sécurité. Vous pouvez faire baisser la pression en recherchant la compagnie des autres, amis ou famille. Ces personnes qui comptent pour vous peuvent vous aider à tout remettre en perspective et à vous montrer que l'entreprise n'est pas tout au monde. Elles peuvent également vous faire entrevoir des options qui vous auraient échappé autrement. Enfin, et c'est peut-être là le plus important, votre entourage peut vous aider à prendre conscience de votre valeur, que vous êtes quelqu'un de bien et de compétent en dehors de tout ce qui peut se produire par ailleurs. Cela devrait vous permettre de recharger vos batteries et de réintégrer le monde du travail plus frais et dispos qu'auparavant.

Dans une vie, il existe peu de changements que l'on doit affronter seul. Au travail nous ne sommes pas seuls puisque le changement affecte également nos collègues. Au cours des transitions personnelles ce sont les amis ou les membres de votre famille qui peuvent vous soutenir. Cependant l'image du « loup solitaire » refusant stoïquement toute aide est malheureusement courante. Cela vient peut-être de l'influence de l'école où l'on nous a toujours demandé de travailler seul. Demander de l'aide était considéré comme tricher.

Lorsque vous traversez une période de changement, vous devez apprendre à travailler avec ou par le biais d'autres personnes. Elles représentent votre meilleur atout face au changement. Elles vous apportent leur soutien et vous permettent de réagir face à la nouvelle situation.

Vous pouvez le faire !

Il est important d'avoir des appuis

Les études montrent que ceux qui maîtrisent le changement et sont en bonne forme et efficaces mobilisent souvent leur réseau de relations. Un leader n'est pas quelqu'un qui agit seul. Les leaders, au contraire, se reconnaissent parce qu'ils savent comment donner envie aux autres de s'impliquer. Vos relations peuvent apporter leur appui de deux manières :

- ➻ En fournissant des informations pertinentes : vos collègues peuvent vous renseigner sur ce qui se passe réellement, si un nouveau poste se libère, quelle est la démarche du nouveau leader, quels sont les projets concernant votre service, etc.

- ➻ En fournissant un soutien affectif : il est précieux d'avoir quelqu'un à qui parler, avec qui partager ses difficultés et son stress dû au changement, avec lequel réfléchir aux différentes possibilités. Le sentiment de camaraderie permet à chacun de mieux traverser le cycle de transition.

LES DIFFÉRENTES FORMES DE SOUTIEN

Nous vivons à l'intérieur d'un véritable réseau de connaissances : famille, collègues, amis et contacts professionnels. Les personnes capables de puiser leurs forces dans un tel réseau sont à même de relever des défis auxquels elles ne pourraient pas faire face seules. Les problèmes n'ont pas l'air aussi insurmontables lorsque l'on peut les partager avec d'autres. En partageant vous gagnez en énergie, moyens et force.

Le soutien est un tampon contre le stress mais ce n'est pas une question de nombre. Ce qui compte ce n'est pas le nombre de personnes que vous connaissez mais la qualité de la relation que vous entretenez avec elles. Avoir un réseau de relations n'est rien si on ne s'en sert pas.

On peut généralement compter sur quatre formes de soutien :

1. La famille — noyau familial, amis intimes.
2. Amis et communauté (connaissances, contacts sociaux, groupe d'amis).
3. Réseau professionnel — conseillers, collègues, contacts professionnels.
4. Conseillers professionnels — conseillers spécialisés dans l'étude des problèmes professionnels.

La carte du réseau d'appuis

Dans l'espace ci-dessous, faites la liste des personnes auxquelles vous vous adressez pour vous soutenir ; pensez également aux animaux ou aux plantes, il est démontré qu'ils représentent un soutien important pour certaines personnes.

Notez le nom des personnes auxquelles vous vous adressez lorsque :

Vous avez un problème

_____

_____

Vous recherchez l'amitié

_____

_____

Vous voulez apprendre quelque chose de nouveau

_____

_____

Vous cherchez à être reconnu et que l'on vous approuve

_____

_____

Vous voulez jouer

_____

_____

Vous cherchez un bon conseil

_____

_____

Vous voulez réfléchir sur de nouvelles idées

_____

_____

Vérifiez votre réseau d'appuis

Reprenez votre liste page 64. Est-ce que le nom d'une même personne apparaît sans cesse ? Est-ce que vous comptez sur cette personne pour trop de choses ? Évitez d'avoir tous vos œufs dans le même panier. Imaginez le poids pour cette personne de représenter autant pour vous.

SACHEZ COMBLER LES VIDES

Avec le temps des vides peuvent apparaître dans votre réseau. Le changement peut l'affecter. Votre évolution personnelle et professionnelle peut vous donner envie de remanier, de remettre en ordre ou d'augmenter l'ensemble de vos appuis. Certaines personnes sur lesquelles vous pouviez vous appuyer à un certain moment peuvent ne plus pouvoir vous soutenir par la suite. Il est important de faire régulièrement le point sur votre réseau.

Reprenez une fois de plus votre liste et placez une croix devant les domaines pour lesquels vous souhaitez accroître votre soutien.

ÉLARGISSEZ VOTRE RÉSEAU

Dans l'espace ci-dessous inscrivez le nom des personnes susceptibles de faire partie de votre réseau. Rappelez-vous : un réseau n'est pas statique. C'est une entité vivante qu'il faut entretenir régulièrement. Si vous n'utilisez pas votre réseau, il se désagrégera.

Osez demander qu'on vous aide

Pour que l'on vous soutienne pendant la période de changement il faut que vous appreniez à demander de l'aide. Certains considèrent cela comme une preuve de faiblesse. D'autres trouvent que c'est gênant. Et si vous essuyez un refus ? Ou est-ce par peur de devoir quelque chose à quelqu'un ? Ces réticences sont justifiées. Cependant, si vous voulez maîtriser le changement il faut aller au-delà. Il faut considérer votre réseau comme un ensemble extensible, qui peut s'agrandir. Comment pouvez-vous procéder pour l'élargir ?

Qui pourrait vous soutenir et que vous n'avez pas encore sollicité ?

_____

_____

_____

Qu'est-ce qui vous retient de demander ?

_____

_____

_____

Quelle démarche particulière pourriez-vous entreprendre pour obtenir davantage d'aide et de soutien ?

_____

_____

_____

Des conseils pour aller plus loin

Au cours d'une transition on rencontre toujours des risques et l'on a des doutes. Vous pouvez vous en sortir en cherchant des appuis plus loin. Nous sommes souvent limités car nous ignorons ce qui est accessible. La première chose à faire pour obtenir le soutien de quelqu'un c'est de le lui demander. On se trompe souvent en se disant que poser des questions c'est montrer son incapacité. Mais ceux qui disposent d'un réseau étendu de contacts sont généralement ceux qui réussissent le mieux les transitions. Ils n'hésitent pas à demander des renseignements, veulent qu'on leur fasse des suggestions, qu'on leur fasse part de ses expériences ou bien ils cherchent de nouveaux contacts.

On se sent souvent gêné d'avoir à demander de l'aide. Vous trouverez ci-dessous quelques suggestions pour vous aider à démarrer :

Je travaille sur un nouveau projet et j'aimerais votre avis sur…

Je cherche à entrer en contact avec des gens qui auraient travaillé avant sur…

J'envisage de devenir membre de la commission/équipe… Qu'en pensez-vous ?

Mon objectif en ce moment consiste à en apprendre davantage sur… Pourriez-vous m'aider…

Savez-vous à qui je pourrais m'adresser pour avoir des renseignements sur… ?

Comment accroître vos appuis ?

Voici quelques suggestions pour vous permettre d'augmenter vos sources d'information :

1. En demandant

Si vous vous posez des questions, ou si vous voulez savoir ce qui se passe, demandez autour de vous. Normalement vous réussirez à obtenir certains renseignements même s'il ne s'agit pas de la totalité du problème. Si vous ne savez que faire ou si vous vous sentez perdu, la première chose à faire c'est de vous renseigner auprès de la personne concernée. L'information représente le pouvoir dans un monde en changement constant.

2. Échangez vos points de vue

En général le changement touche de nombreuses personnes. Lorsque vous en êtes au stade de l'exploration, il ne faut pas tout chercher par soi-même. Si un groupe traverse la même crise, mettez-vous ensemble pour partager vos idées. N'essayez pas de définir une ligne d'action à vous seul.

3. Proposez vos idées

Beaucoup de personnes ont de bonnes idées mais ne maîtrisent pas le changement. Pour cela il faut mettre vos idées sur le marché. Vos idées peuvent être créatives mais elles peuvent également être incomplètes. Discutez avec d'autres personnes pour vous permettre d'élargir votre réserve d'idée créatives. De plus en faisant part de votre réflexion les personnes autour vont se mettre à vous soutenir et même à joindre leurs efforts aux vôtres. Vous prendrez conscience que le partage est source de soutien.

Demander n'a jamais fait de mal

Se constituer un réseau de relations

Autrefois le mot réseau n'était qu'un nom. Il est devenu un mot d'action qui signifie échanger des informations et créer des chaînes de soutien. On constitue des réseaux plus ou moins formels qui s'avèrent fort utile lors des périodes de changement parce qu'il arrive que les moyens de communication formels soient perturbés. Un réseau informel peut alors se révéler une source d'information très précieuse.

Un réseau repose sur des contacts et des relations. Un bon réseau doit pouvoir aller au-delà de vos besoins du moment. Les associations professionnelles ainsi que les entreprises sont des terrains qui favorisent la constitution d'un réseau. Lorsque survient le changement, l'information nécessaire se trouve rarement dans les livres et les bibliothèques. Vous pouvez par exemple souhaiter connaître les entreprises qui embauchent, ce qui se passe dans votre secteur d'activité, comment vous y prendre pour faire garder vos enfants ou comment trouver un dépanneur dans votre quartier. Comment pouvez-vous obtenir rapidement l'information nécessaire ? En contactant les gens !

FAITES APPEL À LA COMMUNAUTÉ

Une communauté renferme de nombreux organismes, associations, entreprises, collectivités, clubs, etc. Celui qui maîtrise le changement fait partie de plusieurs organisations et assiste assidûment aux réunions. Il faut être « dans le circuit » si on veut pouvoir recevoir des informations. Lorsque vous butez sur un problème ou que vous avez un besoin, vous pouvez obtenir rapidement l'aide nécessaire de la communauté. On voit, de plus en plus, apparaître des groupes dont le seul but est de mettre les gens en rapport pour qu'ils constituent une ressource les uns pour les autres.

sachez où chercher l'information

Un feu de forêt n'est rien comparé à un bruit qui court. Cela est encore plus vrai pour une entreprise en crise. La peur du lendemain fait que l'on est prêt à croire toutes sortes de rumeurs. Pour pouvoir réagir face au changement en suivant une ligne d'action positive, vous devez absolument travailler à partir d'informations fiables. Aussi, lorsque vous entendez parler de quelque chose, ne vous paniquez pas avant d'avoir vérifié la véracité de l'information reçue. Dédramatisez la situation en ne propageant aucune information non prouvée. Renseignez-vous toujours afin de ne transmettre que des informations claires. Il arrive qu'un renseignement que vous croyez confidentiel soit accessible sans problème si vous vous adressez à la bonne personne.

Dans l'espace ci-dessous, dites ce que vous faites pour obtenir des informations sûres :

Vous avez l'intention de vérifier les rumeurs suivantes :

_____

_____

_____

Informations dont vous avez besoin :

_____

_____

_____

Où pouvez-vous obtenir le renseignement souhaité ?

_____

_____

_____

Trouver des appuis au sein de l'entreprise

Votre lieu de travail est une communauté. Au début vous devez vous faire connaître. Il vous faut consacrer un certain temps pour apprendre le fonctionnement de votre entreprise.

Au sein des entreprises, on trouve de nombreuses personnes dont les idées sont originales. En général, elles en parlent à quelqu'un — n'obtiennent pas ou peu de réaction — et abandonnent. Vous devez absolument aller jusqu'au bout de vos idées pour obtenir le soutien d'un maximum de personnes.

Une autre méthode de soutien s'appelle la « récolte » : vous essayez d'obtenir chaque jour un peu de soutien de chaque personne rencontrée. Chacun réagira différemment à votre idée. En écoutant les autres, vous ne pouvez que nourrir votre idée qui deviendra plus pratique grâce au soutien recueilli. Si vous pensez que votre idée est importante ne la cachez pas comme un secret. Établissez un réseau pour la soutenir.

En période de changement lorsque de nombreux réseaux de contacts classiques se sont modifiés ou ont disparu c'est à ce moment que votre propre réseau prend tout son intérêt. Les exercices suivants vont vous aider à comprendre le fonctionnement de votre réseau au sein de l'entreprise :

1. Établissez un organigramme en bonne et due forme de votre entreprise.

2. Prenez un feutre de couleur et reliez les différentes personnes entre elles à mesure que vous comprenez leurs relations. Qui parle vraiment avec qui ? Qui travaille vraiment ensemble ? Qui est isolé ? Où mènent les vieilles amitiés ? Et quelle serait votre place si quelqu'un d'autre dessinait un organigramme de votre groupe à vous ?

L'organigramme de votre entreprise

ÉLARGISSEZ VOTRE RÉSEAU PROFESSIONNEL

1. Faites la liste des principales personnes de votre entreprise avec lesquelles vous vous sentez en confiance pour discuter. Cela signifie davantage qu'un simple « bonjour ». La liste peut être très courte, ce n'est pas un problème.

_____

_____

_____

2. Maintenant ajoutez le nom des personnes que vous ne connaissez pas si bien et qui pourraient être d'un précieux concours, intéressantes ou agréables à mieux connaître.

_____

_____

_____

3. Faites la liste de celles qui sont importantes pour vous mais avec lesquelles vous n'entretenez aucune relation.

_____

_____

_____

Pour élargir votre réseau commencez par les personnes du premier groupe. Entrez régulièrement en contact avec elles même brièvement. Centrez votre conversation sur les affaires ainsi que les sujets qui les intéressent. Essayez d'ajouter une personne à votre réseau chaque semaine. Ne profitez pas de vos relations pour faire circuler de faux bruits ou des informations erronées. A l'intérieur de votre réseau ne vous plaignez jamais et ne dénigrez pas non plus.

Lorsque vous vous sentirez sous pression vous serez alors tenté de contacter vos relations. Évitez de le faire tant que vous n'avez pas davantage d'informations. Préférez vous confier à un ami proche ou à quelqu'un en dehors de vos relations professionnelles.

Les relations que l'on entretient par le biais d'un réseau ne sont pas les mêmes que des relations d'amitié. Vous pouvez très bien avoir une relation avec quelqu'un capable de vous apporter son soutien et pourtant ne pas le connaître personnellement. Le fondement de tout réseau repose sur une volonté marquée d'apprendre. Les échanges à l'intérieur d'un réseau révèlent un soutien mutuel réel. Etes-vous disposé à vous entendre dire que la réalité est autre que ce que vous avez pensé ?

**Un réseau de relations est constitué
par toutes sortes de personnalités**

Les relations changent constamment

Avec le changement, les relations professionnelles importantes sont souvent appelées à se transformer. Si vous continuez de vous comporter comme avant vous risquez de subir de la tension. Le stress s'installe si vous ne cherchez pas à savoir clairement en quoi la nouvelle situation va affecter vos relations avec les autres.

Toute relation implique une association fondée sur certaines attentes. Ces attentes vous permettent de travailler en collaboration sans être sans cesse obligé de tout vérifier. La plupart des relations sont bonnes lorsqu'il n'y a aucun problème. En revanche, lorsque les choses se transforment, vos relations se perturbent. On a souvent besoin à ce moment là de redéfinir les attentes de chacun, non pas une fois pour toutes mais fréquemment. Lorsque les choses bougent très vite vous pouvez devoir faire le point avec vos amis/collègues presque chaque jour et redéfinir avec eux les attentes de chacun.

Dans l'espace ci-dessous, notez les relations pour lesquelles vous auriez besoin de redéfinir les attentes réciproques :

1. _____

2. _____

3. _____

Les difficultés surgissent parce que chacun a du mal à dire à l'autre ce qu'il lui reproche. Il y aura toujours des points de friction à cause des changements. Pour entretenir des relations harmonieuses il faut constamment renégocier. Soyez disposé à discuter des nouvelles méthodes et de ce que vous attendez l'un de l'autre. Soyez à l'écoute des problèmes des autres afin de trouver un terrain d'entente.

Les réseaux sont des chaînes sans fin

Lorsque l'on fait face à un changement on ignore souvent où commencer, ce qu'il faut faire, comment obtenir les informations ou les moyens nécessaires. Si vous vous êtes constitué un réseau de relations très ouvert cela peut vous permettre d'avoir toute une série de nouveaux contacts qui vont vous apporter des appuis au-delà de votre cercle habituel. Chaque contact en appelle un autre qui à son tour conduit vers un nouveau et ainsi de suite.

Réfléchissez quelques instants à une question à poser grâce à laquelle vous pourriez en apprendre davantage sur des sujets tels que un changement de carrière, un cours dans un domaine particulier qui vous intéresse, ou le meilleur endroit pour passer des vacances.

Notez votre question ci-dessous :

_____

_____

_____

Dans l'espace ci-dessous, notez le nom d'au moins trois personnes capables de répondre à votre question. A côté de chacun des noms, notez une date à laquelle vous leur poserez la question :

NOM/DATE

Lorsque vous interrogez une personne de votre liste, demandez-lui le nom d'autres personnes qui pourraient répondre à votre question. De nouveau, notez la date pour les contacter. Une fois que vous aurez pris l'habitude de procéder ainsi, vous vous sentirez moins isolé et moins bloqué lorsqu'un problème surgira.

La question de la semaine

Pour vous aider à élargir sans fin votre réseau de relations, formulez une « question de la semaine ». Ensuite, posez la question aux personnes concernées et notez l'information reçue ainsi que le nom et les coordonnées de la personne qui vous a renseigné.

CONSEIL D'ADMINISTRATION PERSONNEL

Un conseil d'administration se compose d'un ensemble de conseillers qui aident une entreprise à réussir. Pourquoi ne pas appliquer ceci aux problèmes personnels ? Si vous êtes à la veille d'un changement personnel ou si vous désirez trouver de nouvelles ouvertures, constituez votre propre conseil d'administration. Sélectionnez-en les membres avec soin. Réfléchissez à un ensemble de personnes qui pourraient vous aider telles que des personnes travaillant dans le même secteur d'activité, des gens qui connaissent d'autres personnes, celles pour qui vous avez du respect. Réunissez-les pour une entrevue informelle. Discutez de vos besoins et de vos intentions. Les membres de ce conseil trouveront que cela les aide également.

Franchissez l'autre rive

Vous avez parcouru un long chemin. Vous avez vu le dangereux virage dans la courbe de la transition ainsi que la manière de se comporter face au refus et a la résistance.

A travers les différentes étapes nous espérons que vous avez réussi à prendre ce virage. Vous avez pris conscience que vous avez des alliés, des moyens et des appuis. Vous avez également compris que le changement peut vous apporter du positif, une opportunité que vous ne soupçonniez pas. Vous êtes passé ainsi de la phase du danger à celle de l'opportunité.

Ensuite vous êtes entré dans la phase d'exploration. Au cours de cette étape vous avez cherché les moyens de maîtriser le changement, de renforcer votre force intérieure et trouver des appuis. Vous avez expérimenté de nouvelles options et/ou acquis de nouvelles compétences. En regardant en arrière, vous pouvez dire que vous vous sentez plus sûr de vous et plus confiant dans votre capacité à maîtriser le prochain changement.

Lorsque vous êtes entré dans la phase d'engagement, vous avez découvert un nouvel équilibre et une nouvelle orientation. Le plus gros du travail à ce stade a été de reconnaître ce que vous avez réussi à mener à bien pour maîtriser le changement. N'oubliez pas où vous en étiez en commençant et récompensez-vous d'en être arrivé là.

Désormais, à la fin du processus, vous devez vous sentir près à affronter les prochains changements. Grâce à ce livre vous devez avoir acquis les moyens nécessaires pour maîtriser les changements et vous sentir d'attaque et capable d'aborder de nouvelles transitions dans les meilleures conditions possibles.

Collection
50 minutes pour réussir

« J'écoute et j'oublie, je lis et je me souviens, je fais et je comprends »
Proverbe chinois

La Collection **50 Minutes Pour Réussir** est profondément originale et ne peut se comparer à aucune autre. Elle diffère sur un point important ; chaque livre n'est pas un livre à lire, c'est un livre à utiliser.

Leur présentation, les nombreux questionnaires, les tests encouragent le lecteur à s'impliquer et à appliquer immédiatement les connaissances acquises.

Rédigés d'une manière simple et progressive, ils sont conçus pour être lus en 50 minutes. Cette promesse très forte et son concept pédagogique efficace font de cette collection un succès mondial. Traduit en 17 langues, les ventes représentent plusieurs millions d'exemplaires à travers le monde.

Les ouvrages de la Collection **50 Minutes Pour Réussir** peuvent être utilisés de différentes manières :

⇨ **Perfectionnement individuel :** comme il s'agit d'une méthode d'auto-formation, tout ce dont vous avez besoin c'est d'un endroit tranquille, 50 minutes de votre temps et d'un crayon.

⇨ **Ateliers et séminaires :** pour une lecture préalable qui permet à chacun d'assimiler les bases et renforcer la qualité de la participation avec un gain de temps appréciable. Il peut également être distribué en début de cession et permettre aux participants de travailler avec, tout au long de la séance.

⇨ **Formation à distance :** les ouvrages peuvent être envoyés à ceux qui n'ont pas la possibilité de participer aux sessions de formation « maison ».

En fait, tout dépend des objectifs, du programme et de l'imagination de l'utilisateur.

Mais une chose est sûre : après avoir lu une méthode 50 minutes Pour Réussir, vous la reprendrez, encore et encore.

COLLECTION 50 MINUTES POUR RÉUSSIR

Achevé d'imprimer
en novembre 1995
sur les presses de l'Imprimerie Carlo Descamps S.A.

Dépôt légal : novembre 1995
ISBN : 2-87845-263-1
50-3684-3
LPM 109